Meet big **Z** and little **z**.

Trace each letter with your finger and say its name.

Z is for

zebra

Z is also for

zoo

zero

zucchini

zig**z**ag

Zz Story

Meet a **z**any **z**ebra
who lives at the **z**oo.

ZOO

She **z**ips around with **z**eal.
Zip, **z**ip!

She **z**ooms in a **z**igzag.
Zoom, **z**oom!

She eats a plate
of **z**esty **z**ucchini...

until there are
zero slices left.

Then, the **z**any **z**ebra **z**onks out to dream. **Z**zzzzzzzzzzzzzzzzz!